空茫的等待

金筑著

文史哲詩叢

文史哲出版社印行

國家圖書館出版品預行編目資料

空茫的等待/ 金筑著 -- 初版 -- 臺北市 ：
文史哲, 民 104.07
頁; 公分（文史哲詩叢；125）
ISBN 978-986-314-265-2（平裝）

851.486 104012761

文史哲詩叢 125

空茫的等待

著 者：金 筑
出版者：文 史 哲 出 版 社
http:// www.lapen.com.tw
e-mail:lapen@ms74.hinet.net
登記證字號：行政院新聞局版臺業字五三三七號
發行人：彭 正 雄
發行所：文 史 哲 出 版 社
印刷者：文 史 哲 出 版 社
臺北市羅斯福路一段七十二巷四號
郵政劃撥帳號：一六一八〇一七五
電話886-2-23511028 · 傳真886-2-23965656

實價新臺幣三〇〇元

二〇一五年（民一〇四）七月初版

ISBN 978-986-314-265-2 09125

桃紅又是一年春

——金筑《空茫的等待》讀後

謝輝煌

由大陸來的資深老兵詩人，大都背過些古典詩文。也會哼唱些很有文學氣味的歌曲和京戲。加上他們又有一段流亡和行伍的生活歷練，及受到早年「兵寫兵」的鼓勵，便用筆展現了另一個生命的春天。而詩人金筑（本名謝炯）正是其中之一。

非但如此，他還是個最能發揚貴州人歌唱藝術的詩人，不管人多人少，只要有機會，他都會高歌一曲，然後酣然於掌聲中。

歌與詩同源，有歌必有詩。所以，他寫了大半輩子的詩，出過好幾個詩集。這個《空茫的等待》，他在付印的同時，連書名都還未告知我，就迫不及待的，不嫌我「沒唸過書，不懂事」的鄙陋，希望我當他這個文創產品的「代言人」，懇辭無效，只好胡謅了。

閒話表過，《空茫的等待》共收一三一首新舊作品，分成五個單元，即「滄桑史」（獨佔八十首短詩）、「迷幻夜之戀」、「庚星換彩，新春福鳌」、「營造情緒的超越」、及「風雲雷動的年華」等。

在這一三一首作品中，有不少似舊還新的詞兒。如：「光陰愈來愈瘦」、「清漣淨湜」、「冷色的火焰」、「離淚」、「簾睫」、「花落水逝」、「頻率」、「泣秋」、「眼線」、「地脈」、「推瀾逐波」、「紛焱」、「制高點」、「焦距」、「流光滾替」、「原真」、「朵頤饞饞」、「焦點」、「掌采」、「餐英」、「有所有，無所無」、「共剪西窗一片雲」、「放朵」、「數位」、「藕莖」、「光譜加速」、「綠綠欲溪」、「謝景」、「澗綠環伺」、「正寢必然」、「庚星」、「環系」……等。平均每三首詩中就有一個，也可想見作者在鑄詞造句方面的銳意經營了。

上面這些詞句，有從傳統詩詞中「借」來「變」來的、有科技名詞、有軍語、有僧話、有天文曆法及地理用語。而「掌采」是方言，意為「唱彩」。舊式婚禮中，禮生在「攔轎」、「攔門」時，都要唱「關睢」、「桃夭」之類的彩詞。又據網友介紹，九江有〈擡喪掌彩詞〉：「（抬到墓地歇肩前掌彩詞）夫矣，烏龍抬到紫金坡，神皇土地笑哈哈。我問土地笑什麼，正等老龍來回窩。眾位八仙聽開懷，請把烏龍放下來」。由此可知，金筑在創作上沒有偷懶，只是有時猛過了頭，且有古、散文傾向。

在上列詞句中，「共剪西窗一片雲」，就別有風味了。雖然，句子是套自李商隱的「何當共剪西窗燭」。而且，今天幾已無「西窗」之燭可共可剪，但這個句子，卻是可圈可點的優良仿品。再如用「味味生津」來表現詩家讀到好詩時的心情、用「光陰愈來愈瘦」來描繪老年人對「來日無多」的喟嘆，都是不錯的創構。但「正寢必然」，也就這樣了。因老太太過世，是「壽終內寢」。另如書中有句「淡出杏壇」，也有「辭不達意，意不切情」的背意錯位的現象。因為，「杏壇」有敬稱意涵，不能對己。而退休老師，也不能說成「淡出杏壇」。

在詩作方面，較有可讀性的，多是第一輯裡的短詩。如〈等〉：

「等你一分鐘不來／霜紅了一季秋／等你兩分鐘未到／封凍了一整年／等你一小時仍無蹤影／僵硬成化石」

這是一首寫男女約會等得人心焦的純詩。三個句型雷同而層次分明的「等你……」，是排比、層遞、和類疊（複詞連用）等修辭技巧的綜合展現，有加深印象的效果。「霜紅了一季秋」，好「酒」！

再看他的〈貝殼〉：

「那天走上／沙灘／貝殼都在叫我的名字／唉！／我多年的心事／全被它們偷聽了」

這首詩的寫作，應是受了老歌〈白雲故鄉〉：「海風翻起白浪，浪花濺濕衣裳。寂寞的沙灘，只有我在凝望……」的觸發。金筑在小金門教過六、七年書，所以，長得像耳朵的貝殼都認得他。「貝殼」一句，形象生動。「唉」也意涵豐富。只是，

「沙灘」作一行，沒必要。又，「上」字失準。而「偷聽」不如「偷聽光」。

再看〈金魚〉：

「清漣淨湜／流動冷色的火焰／水／被煮綠」

此詩寫水族箱裡的紅金魚動態，形象生動，色彩豐富。惟「冷色」雖有「色」與「温」的內涵。但「冷色」是指青、藍、靛、紫等色，不能形容紅金魚。「清漣淨湜」，是用同部首的字來强化景象的修辭法，漢賦中常見，近代也有「寄宿客寓，牢守寒窗空寂寞；迷途遠避，退還蓮逕返逍遙」的妙聯，畢竟老學究味重。而「水／被煮綠」與前一首的「心事全被偷聽」，都是「被動語態」的句子，試一比較，後者就軟弱而僵硬了。若作「煮綠／一池春水」，如何？

整個來說，金筑是個用功的詩人，他邊讀邊學，且一直在搜古索今，重鑄重塑，嚐試突破，希望能開創新局。但往往因雕琢過甚，反而造成了生冷枯澀，甚至費解的現象。如把「視線」鑄成「眼線」，就更有畫虎不成的反效果了。因為，不能用「線民」去盯梢女友的背影呀！

創新不等於好。但敝族老祖宗謝枋得，用〈桃花源記〉的典故所作的〈慶全庵桃花〉：「尋得桃源好避秦，桃紅又是一年春。花飛莫遣隨流水，怕有漁郎來問津。」一切情切景，一語雙關（「漁郎」指元兵）。詩是血寫的，謹以祖上遺澤與金筑族兄共勉。

二〇一五、五、二十一作

衷心感謝・祝福

金筑

時序不停的進展，寰宇的運行，也不停的向前。這樣一代代的延續發展、更新、誰也無力拘留，誰也無權力制止。這是「律」的運作，是「天行健，君子自強不息」的真理。詩人應依真理而前進，才會有嶄新的成果。

二十一世紀，一切都進步神速，尤其是科技的變化，五年一小變，十年一大變。如家中的電話，與人交流溝通很方便，稱心愉快；不過，不能行動攜帶，要越洋到其他地區，就不是那麼暢通流利了。經過數十年的研究，手機的出現，可隨身攜帶，從簡易的通話到智慧型手機的出世，短短十多二十年，可以說千變萬化，至今越洋的網路，一切資訊等等的應用，一機在手，只要指指點點操作，就有一個小小的世界掌握在手中，什麼都有了。可以說人的需求，儘管太多，只要會操作，真的，奇正變化，能得到你想要得到的，不久的將來，變到何境地，無法預測，相信是更方便，更奇特，出乎我們的預料。

時代在進步，帶動各行各業前進，文學更新的風貌，雖不如科技日益千里，也有一定程度的發展。不過新詩的進步空間，似乎愈來愈小，詩，有小眾之說。詩人們希望，何時可以展現唐宋詩風，明清文明的風采。這是詩人及一些好心人士的仰望、想法。事實，似乎不可能了，除非國家的考試制度，凡一切考試，必須考詩詞之類，就會順理成章，詩就翻身了。眾所周知，今天是多元的社會，每行業都出狀元，各行各業，有自己的天下，詩是人群中的一隻脈流，人欣賞也好，不喜歡也好，順其各人的喜好，結緣了。

幾十年來，我一直在讀詩、寫詩、朗誦詩，也評詩之類。不過，本人寫作，律己較嚴，許多詩作，不是束之高閣就是毀棄火苗。出版的詩集故爾不多，而同步的詩友們，表現的成果，是一本又一本的出專集，似乎是等身矣，對這些詩人，非常敬佩，羨慕。

本人多年來詩的創作，絕對穩重、仔細，不馬虎，不求聞達顯名，也不圖利自滿。自我調教而成長，并求詩品的健康，提升人性的高貴。寫詩是人生的重要部份，認真的追求，在多彩多姿的創作中，領悟不少的人情事故和創作的異同，以及創作的竅門，也洞悉作者內在微細的心情，十分有趣。因此我提筆創作才萬紫千紅般的多元開啟。今日的詩壇上各顯殊姿，各有音調，是前人不能相比的，可以說是多元的詩世界，各人一把號，各吹各的調。由於各自肯定。但有詩人自以為作品是空前，自我肯定是諾貝爾文學的詩學得主，我推敲詩作品與印度大師泰戈爾相比，仍有太多努力空間，不過能大膽豪放自己的天空，勇氣十分可愛，不過出言謹慎謙虛也是做人不可忽視的要點。

我一向主張小詩創作是不變的方向，中國的舊詩大多是短小靈巧，誦讀鏗鏘有力。本詩集《空茫的等待》也是以小詩為主，表現清晰明朗，這是今日詩的走向，這本詩集中，是水晶似的透明，天光雲彩般的含蓄，不增加讀者的負擔，困難。因此，各式的風格都顯露嚐試，並探索詩路幽徑的精微，陽關大道的空曠開敞，創新、學習，詩路各種不同的風格，得到很好的成果與肯定。只要有耐心，謙卑一點，不帶成見的品讀，一定有不同層次的收穫。

《葡萄園詩刊》，向著一甲子邁進，華文詩刊中不多見，幾十年來慘淡經營，臨淵履冰的辛苦耕耘，孳孳不倦，從未停刊或休刊、一步一腳印的向前，也沒有「重組」、「革新」、「復刊」、「再出發」，或者改頭換面再發行。能堅持到底，是許多同仁的功勞。在兩岸交流上也做了許多的工作，這是有目共覩的。我接任社長已十八年矣，是詩壇上社長做得最久的一員吧。我為人一向逍遙自在，最不喜歡做官，社長雖然不是官，在人看來是一個職位。我被任命為社長之時，就曾經懇求請辭，而且是正式的，書面的、當時詩人曉村兄認為我這人做人四平八穩，人品在文壇上，有良好形象，詩創作不斷，苦研苦贊，努力不懈，文壇許多會議大多參與，身體還不錯，能長期堅持。曉寸兄叫我免為其難，以後多次請辭，不得要領。社長快成了終身職了。不知情者，以為我賴著不走，拖到如今，希望換能人來接任。《葡萄園》就會有一個新風貌，我絕對支持，這是我最大的心願。年紀太大了，希望大家聽到我的聲音。

年紀的確太大了，到了真正懂事的歲月，滿了感恩之心，人生活在世上，除了自己，得到太多人的情義扶持、鼓勵，使我生活得自在安祥，才能寫下詩章。這本詩集的誕生要謝謝朋友、詩友、鄉人的關懷問詢、鼓勵、拉台、相挺、生發無比的力量，真要謝謝。小女兒啟璇，去年底剛結婚，定居美國，常打電話來關切。內人樹鑾，多年來的好伙伴，關心十分，還協助打印詩稿，衷心謝謝！

輝煌兄多年老友，他的文章是文壇上不可忽略的，他贊研苦練、打破沙鍋問到底的探求真理，令人敬佩，是今日難得的才子，請他賜序文，及彭正雄好友的編輯、整理，統籌佈局。要特別謝謝！

我天天祈禱，主耶穌是聽禱告的神，另一種看不見的力量，奧祕的支持，是一般人不能理解的，真要感謝敬拜。

二〇一五、五、十五於板橋

空茫的等待

目 次

第二輯　迷幻夜之變

第一輯　滄桑史

滄桑史

翻讀史冊
每個字都在哭泣
掩卷閉目
血 滴滴淌
淚 串串流
字字
蛻化成春秋

點亮心燈

這黑暗的世界
如果
人人將心燈點亮
就會徹夜光明照耀
東方立即破曉
月亮不墜
太陽不落

日　曆

光陰愈來愈瘦
緊縮的歲月
高懸牆壁上
跌下
一口一口的嘆息
那是日子瘦身的
數據

重建雷峰塔

鎮鎖已久的
白色故事
拔開　解禁
而
烙印心扉的緋豔
依舊美麗
淒迷

金 魚

清漣淨湜
流動　冷色的火焰
水
被煮綠

短 句

蘭芷異香
從你詩樣的體姿釋放
我的心啊
翩翩
似飛的
隻蝶

離　淚

臨別　面對凝視
瞳孔中
你　望斷的影子　層層閃動
我　揉揉眨眨
一滴催離淚
將你包裹　滾了下來
淒美的滴落
滴落
藍橋夢碎

黃雀背後

密林中
山雞愉悅的
逍遙　歡歌
引來
準星的指向
磨牙的野性
正中環孔

撐渡

妳是皎月
朗朗心中的激情
我就翩翩起舞
妳是弦月
浪浪銀輝
扁舟往來
請撐篙渡我　渡我
終結
了了塵緣

醉

梨渦無酒
斟入一滴春
豪飲而盡
酩酊 醉成
孤山 杏花 煙雨
夢回江南

日月潭之戀

日光下不見你
月色中不見我
日月潭畔 悠游徜徉
儷影雙雙 明豔
日月合璧 燦亮

尋　春

撞入你的簾睫
探索
煙籠紗罩的春景
誰知
花落水逝
春去也

傳輸

寂靜時
心意悸動
我知道
那是
你靈魂傳來的頻率
傳達形而上的
寫真

泰山石

深山深　水冷畔
　肅然　矗立
顯赫成風景
　泛綠　泛黑
威鎮過往者的膽
　夜行的口哨

註：泰山石是郊野鎮邪之石。

等

等你一分鐘不來
　霜紅了一季秋
等你兩分鐘未到
　封凍了一整年
等你一小時仍無蹤影
　僵硬成化石

生之旅

生也　　命也
轉折多多
每次折轉
柳暗花明的
驚喜
也會有　暗暗淡淡的
煞腳
然
墨乾
紙罄
百折千轉
滴滴血　粒粒淚
曲終人散
休止了
戲一場

泣　秋

將懷念懸在楓梢
經季節更遞
秋風起兮
一夕　淚滴紛飛
風垂一地
泣血

回　眸

那天　妳來了
佇立荷池畔　似靜靜一株蓮
飄灑堆雲砌鬢的矜持
風　流動妳的腳步
臨別
難忘　那回頭的一瞥
眼線牽繫妳的背影
漸遠……
我等待　等待
期盼妳再次……
回眸

茫也

看山不是山
看水不是水
情不像情
愛不像愛
飛霜白了頭
葉落夢凋殘
人生風景 不堪看

籃球賽

接住一顆流星
拋給情愛
急劇衝刺之速率
傳遞過去　流向天際
綻放光芒
轉動四座星河的眸子
兜繞穿場　搓柔　圓轉
再傳過來　遠距投射
光波四耀
圈住一朵圓圓彩夢
掌聲劃亮　命中
兩分

歷程

走過歲月
尺尺寸寸泣血
分分秒秒淌汗
失意　稱心
深刻心頭的圖案
交錯回首的
諤然

紙 鳶

一條柔柔軟軟的
曲線張力
撐起這座穹蒼
一網霓虹　飽滿的風
嘹亮起翅翼的角聲
將天天天藍扯亮
繫不住的是
失落了的斷線
拉昇九霄
一抹橘紅的夢
飄然入雲深之杳杳

海　葬

大海泱泱　別矣
你的骨灰
揚灑航道上
那條船
將載你回故鄉
天邊　夕陽
淌下一滴滾燙的
淚

小記： 二〇〇四年六月十六日將鄉人譚宇文君的骨灰拋灑在臺灣桃園外海，完成他的遺願。

漁人碼頭

走進漁人碼頭
鮮蝦　九孔　貝類　魚群……
橫陳裸體
美豔了市場
任君品鑑　欣賞　吻嚐
也鮮活了
人們對死亡
價值的判斷

足　印

遍野足跡雜沓
　覆蓋　覆蓋了又覆蓋
向前踏去
　能有幾枚
赤赤的腳印
　　摺疊心頭　又
有幾枚不被
　　風雨抹平？

希望

用線香
將夜燒一個洞
宇宙多了一個孔竅
世界的希望　增加一丁點
黑暗
被刺痛了一針

空茫的等待

抬頭　滿天星斗閃爍
是許多夢的囈語　千眼
億萬年前就在呼喚我　召引我
讓多次的美麗都錯過
如今　在妳環弓的臂彎小寐
伸引自遙遠的光陰
那時
我僅是一粒空茫
在等待

心的意象

形似鉤　向
茫茫人海中垂釣
浮過來的水草
漂過去的水流
那是
不要鉤的　鉤不住的
看　是你的垂釣　我在垂釣
穩一點　實際一點　牢靠一點
鉤住的是你　竟然也是我
沒有上鉤過的人　太可怕了
人類全靠鉤的
互動而活躍

橋

拉攏過來
是通往遙遠的鄉愁
湧流過去
是天涯遊子的不歸路
在此纏結
孔洞下　地脈
流逝　一掬瀉影
茫茫
何而來？
何而去？

一滴・酒

飲下一滴　一滴
一滴緋色的佳釀
炫惑嫣紫的嫻媚
紅潤半邊天　愛在臨風中捲簾
飲下一滴　斗酒之一滴
醺醉成香坵　淚滴花謝花飛的心情
芳菲孃孃　愁緒盈盈
一滴　只一滴
一滴冷香　一滴暮雨
一滴冷卻的春　一滴冷冽的情
一滴
昏鴉中的人影

水系之歌

循著　長江
黃河
推瀾　逐波
皺摺在
海峽
淡水
輕柔　粼盪
縷縷　皺皺的
紋飾　從
秋實的翻浪
盪漾開來
皺疊成　暮秋
吟唱的顫音

寫 意

濃墨披瀝處
幾朵柔麗擁翠
三、五點淡荷
畫滿
一塘秋
尋覓的倩影
啓動深密中
的幽情

曉　春

彩姿麗影
柔柔萬態嬌媚
款款行擺
使
春
更　燦爛
更　嫣然

小記：題詩人王祿松兄的臨場小畫，於一九九八年二月七日台北市中央圖書館。

小 韻

心靈
詩情紛焱擾嚷
唯有瘋子
把它展示出來
智者
品得味味生津

熱　波

登臨制高點
冷冷的心撩起一陣廝纏
在滾沸的機遇中
提煉
那失落已久的詩句
炙陽下
冰冷的身心
徜徉遊走
折轉入
既定的儆醒
那是滾滾湯燙的等待
詩呢？被
火閃閃40度
捲走了
擴大皎然的視野
詩的影子
熱浪一波一波的滾來

遠近的鄉思

老家門前的那座山
萬古嶙峋
從來沒有整容過
掛著歲月的腳步
我　沒有走進一步
卻愈走愈遠了

覓

她　在夢的窗口等我
我　未入眠
倦怠的肢體
在枕邊遊魂
尋找　尋找
切入之口

夢江南

為了愛
剪裁蝶翼紛飛
浮貼你的鬢角
夜夜偷窺你的睡姿
薄翅點點
鶯飛草長

相思

綻放相思花
葉葉冷凝香
晶瑩相思淚
粒粒凍成霜
暢飲相思酒
盞盞苦滿杯
夜夜相思夢
寥寥蝶翅飛

彩 虹

雨後
彩虹傍依水湄
是我心的良港
燦爛了我繽紛的心情
使我的魂影
萬紫千紅般的絢麗奪目
我遂彩飲飛濺的水聲
飽嚐紅橙黃綠青藍紫的饗宴
飛入繆斯
是擋不住的香馥醉人
美艷了我的
薄暮風景

循　環

白晝與黑夜
拔河於黃昏的焦距
誰輸誰贏　勢所必然
順勢的夜與黎明拉扯
從夜心彈跳而出的
旭日
與時間互相爭執
卻又不住的
升高
流光滾替
永不止息

風　箏

夢的絲索
搖曳這座穹蒼
白雲冉冉
緊繫稚小的心靈

細細的箏線
牢牢牽引希望　柔柔的提昇
放飛的愛　目光中靈動
凌空　飛翔
扶搖直上　風送遠方

猛然　失落了線斷
拴不住　就拉著一朵白雲
飛奔　是場幻影啊！
喟然　夢墜落
殘紅一線

歲月之量丈

量丈光陰
一寸一寸的丈量
所有的尺寸　平平量過
今後的量丈
愈來愈艱難
怕量丈至不能延伸
是一個結尾吧
有何處可以駐足
顯示出的折斷
就是結束了嗎？
或是另一個未知序列之始
失溫之深的盡頭
被掐斷的呼吸
一個風吹掀起的開端
是屬於日子之外的

清涼調

你是所有歌曲之外
最動聽的
一首
柔美的旋律
唱穿盈盈秋水
均勻的節奏
踩踏起伏的心跳
如今
又是一首沁涼的
小韻
歌入仲夏之夜
冷飲廣寒的
清冽

原　真

在鏡中尋找自己
閉眼
立即消失

在夢中尋找自己
有時昇騰天上
有時墜入深淵

閉目省視　冥想
良知　閃明
自己原真畢露

盲　目

有人見了廟就拜
有一次
進入廟內
納頭便拜
及至定睛
偶像似乎面善
仔細審視
不禁訝異
原來
坐在神龕上的
正是本尊

碗

天天吃飯
不會胖
不會瘦
不會飽足
不會成長
永遠 飢腸轆轆
常常喊餓
夜夜被倒扣櫥櫃
等待
等待
人 朵頤饞饞

真　的

訪江南某古剎，向知客僧問訊，和尚一臉漠然，淡淡傳呼：

「茶」。

領隊告知　我們是北京文化部的客人，和尚眼光一亮，陪上笑臉，急急呼曰：

「上好茶」。

真的，這樣的故事不是傳說。

探　索

走進你的簾睫
想探索重重遮障後的
迷濛煙籠春景
和深閨夢裡的情結
捲簾進入瞳眸
漾涵的夢境
當我　察覺已陷入圖陣
欲覓脱困　遠颺
合翕的垂睫　忐忑翻摺
彷彿圈入囹圄
只得　只得
深入堂奧　窺視
被　風吹亂的夢
霎時　一瞬變為
晴時多雲偶陣雨的虛幻

懷　念

繫著一根情弦
輕柔撥響
碰觸你心跳的節奏
譜成生命的奏鳴
「沙喲哪啦」
明天　明天
我日夜哼唱
音符傳情　震盪你的屋簷
思情綿綿
是我對你的懷念

詩吟三月

·為三月詩會二十周年吟唱·

詩海林林
丁點匯集的團契
是智慧頂尖之拔昇
二十春秋的凝聚
將晨與熒熒閃閃
燦亮在夢的丫口
唱吟起伏
響亮一定的旋律
三月
簇擁晚晴歲月的蒼翠
以及
生命成熟　力勁的
突顯

貝殼

那天　走上
沙灘
貝殼都在叫我的名字
唉！
我多年的心事
全被它們偷聽了

斑爛的夢

梨山八K處
溪水湲流的河畔
哇
一群大彩蝶
亮麗翻飛
是流動夢幻的族群
彩排一台景戲
活躍在我靈感的邊緣
絢麗了春天
一隻斑蝶
停留野花蕊築夢
營造詩人的冥想

飢餓了

古人有畫餅充飢之説
的確是個好主意
許多年前
一些學生
可能不會畫餅之術
天天上街
反　飢餓
真的　他們餓了？

小金門的教堂

存在就是肯定
歲月的隙縫
砲火　槍彈　以及
心邊的顫慄
拉拔
成天庭的氣度

步　槍

肩著　扛著
沉沉靜靜　似有所圖
想著生命不再成長
是起點也是終點
命運就是如此
準星板機一體
誰選擇誰

老　兵

只是時代中的一口嘆息
數十載往矣
一個一個的夢全被擊碎
所有的春秋
攝入　滴滴血　粒粒淚
沉沉　默默
猛然覺醒
不死
雙眼茫茫發直
一尊孤寂的活化石

混淆的辨証

他説他愛國
你説你愛國
我説我愛國

你罵他賣台
他罵你賣台
我罵你們都買台

誰愛國？誰賣台

遠則近之　近則遠之
是則非之　非則是之

真耶？　假耶？
撲朔迷離
口水紛飛　黑白講

詩　人

整日黏貼夢境
若有丁點現實的行止
都是夢的零碎拼裝
抽像的線條構成
矇矇的影像　常常
笑不像笑　哭不像哭
吶喊無聲　寂寞孤獨
癡癡　傻傻　默默　沉沉
與繆斯對盞
酣入
醉中醉　幻中幻
夢中夢　癲中癲
再發酵　蒸溜　涓滴可飲
凝眸審視
赫然發現
李白醉眼中的月亮在水中
閃光

春 秋

春秋　其間斷了一季
夾在中間的夏天不見了
殿後的一季未冰封也蕩掉
讓繁花似錦的春色獨豔
瀟灑的場景　秋高氣爽
似乎
孔子見詩亡　乃有春秋之悟
一個四季不全的架構
僅吟薰風飄忽
秋色慘淡　煙霏雲斂
如今　詩已小眾
離詩亡矣不遠
是否需要春秋之筆
褒褒貶貶　貶貶褒褒
否則
詩　真的亡矣

註：孟子：「王者之迹熄而詩亡，詩亡而春秋作。」

熱　點

貝多芬的英雄交響
序奏蕩蕩悠悠
音符咄咄
終竟從禁錮中飛翔
攀昇至極頂　滾滾湯燙
磅礴的氣勢暄赫
回應出於興奮高昂　狂顛
心跳回響
翻騰　慷慨　竄入情緒的拔尖
噴灑太陽的亮點　冷卻不下來
深邃的靈光感撫欣賞
一團火焰
在震撼中燎原
烘焙出的肉香
卻失了味（註）

註：孔子聞詔，三月不知肉味。。

雁　群

秋雁的行伍
羅列成「一」
又凝聚成焦點
遠遠逝去
有牠的方向
鄉思　幻變成「人」
凝結成箭矢
奔馳出去
超越千山
通過萬水
卻無一著
「的」之處

春到人間

脫去那
層層疊疊的重量
水銀節節拔昇
加快了輕盈的步履

叫不醒的睡眠
等待驚蟄的風軟軟吹來
脫去夢彩
惺忪的眼

春天到了
眼睛 亮亮的

重 組

抽出神木的年輪
直線拉長
似纖維抽紗 重新組合
再緊緊纏繞 從起初開始
意態閒逸 不惹狷躁
飄昇起的信仰 旋成肯定的執著
纏緊縝密的理念
墨繩中規的迴延
襲裹成另類縉綣——
千萬噚光曦
閃閃緩昇天外
一定的 一定的
不會令你失望
我會縈繞成
你想要的樣子
圈圈 卷卷 團團 圓圓
或者 天邊環系的河帶
人性的理想

小記：科學家認為將人體的基因篩選，重組好的基因，加上理想，人將完美沒有瑕疵。

熊貓　君子乎？

瀕臨滅絕的世代
隱於
天府竹林之深
披黑白調色的清淡
嚼食箭竹與陽光
擁有優渥寵惠之命運
獻身於眾目睽睽之景點
落腳於世界各地
聲譽響亮　孩童們掌采不絕
居於竹　食於竹
是內外兼修之君子
君子中之君子也
似有竹林七賢之魂影
君子之風　約約隱隱
又是　珍稀　圖騰
國寶也

臨影月牙泉

任紅塵凡俗杳杳
任方外逍遙飄飄
任祿位權謀殺殺
　酌飲月牙泉的甘洌
臨影晶瑩的渥洼池
　淘洗碌碌的濁世風塵
吹熄黃昏　點亮星星
心止水而無波
　靈空出竅而澄明
此刻　只想浸沉
七星草間徜徉
宛若娓娓的鐵背魚

註：月牙泉是甘肅敦煌鳴沙山中的一泓清泉，生長有「七星草」、「鐵背魚」，相傳多服用可以長生不老，也是令人脫俗之地。

鳴沙交響曲

巍立於無央的沙山
起勢萬仞　長峰雄立
鳴峰飛揚處
晴空中長歌不輟
廣樂九奏鈞天
絕響曠世奇音
黃昏煙靄嫋嫋
暮色幽謐蕭蕭
天籟雅音隱隱
沙谷奏鳴泠泠
遠行駝鈴叮叮
划行瀚海戈壁沙塵
擊節頓挫抑揚
我歌　我吟　我心喘喘
一陣石破驚天　瓦釜雷鳴
用耳聆聽　以心激賞　天人交響和鳴
引商刻羽　是世上的絕妙佳音

小記：甘肅敦煌的鳴沙山，隨不同的氣候，產生萬籟鳴響，是絕妙的旋律，殊異的奏鳴。

倩 影

弱水娟娟的意態
水水靈靈的線條
春神嫋娜的嬌麗
扭捏的姿影 S成愛繩
拴住零蕩的心
攀繾起的雲影 淡攏髮鬢
繫著童真的風采
播散青色的雅香
細細麗麗的款擺
深深的凝睇
誰的眸 尾隨緊緊
綺憑飲醉的神韻幻景
纖纖柳絮的搖曳
古典又
浪漫的書寫
一闋瘦瘦的瘦金體
裊裊 依依阿！
又是誰的狂草？

素描

你提筆一揮
把我勾抹成風景
任你將
粗粗的大眉
橫槓成一座沉鬱的蒼山
展現滄涼的歲月
粒粒的老人斑
還魂為點點青春痘
再經你摹擬修飾
終竟幻化為
一枚待墜的
夕陽

孿 生

寂寞走近我
將我仔細端詳
訝然
心契相合
　　的確
我很像它
原來
我也是寂寞

餐英

飢餓了
凝眸妳的美豔
品賞妳的風采
吸取散放的蘭香
飽了
可餐的秀色

領　航

你的雙眸
閃爍
　晶瑩的光度
導引我
駛入
愛的良港
　一葉小舟
就這樣
橫彎　等待
蕩槳　撥浪

一滴露珠

漣漪 粼粼
縷刻荷塘 一池麗彩
靜謐 誇飾 突顯
風荷麗質翩翩
妳臨池倒映
托顋 凝眸 沉思
是畫中詩 詩中畫
光陰顫巍巍溜滑 滾動
一粒 晶瑩剔透的露珠
説時遲 那時快
快門捕捉住時間的
「卡擦」 一剎那
墜入鏡池 滴入妳的梨渦
渾然
一滴醉
一滴美
一滴詩

心 酪

你的笑靨
盪漾一池春
漣漪柔麗
泛起浪花朵朵
漩入　梨渦
一滴盈盈的
醉

議　價

跟槍口
討飲料
無異飲鴆止渴
和刀刃
求和平
拿生命下注
向死亡妥協
贏不了

買　醉

有妳
　月亮份外明亮
　星星笑得更斑爛
有妳
　到處溫馨艷麗
　到處飛著詩的翅膀
有妳
　可以　到杏花村獨酌
　向你的梨渦買醉

也算是盼望

這是沉沉昏暗的視野
一顆淺明的星
傳輸入細胞　全身滿了亮點
拉不開的氣度
維持定量的折射
點點弱亮
信心和能力
一併成長
歲月奔馳的索道
淡淡的微光
心路的數碼　閃爍幽幽的光譜
翻越不踰矩的層次
人生的完結　有既然的尺度
頻頻閃閃　非老生之語
唯墳前的野燐
反照淺明星光的魂影
點化未知　了了

相守

就這樣恆久持守
以你的麗姿　和我的憐惜
拼裝成不朽的儷影
一切都會遷移
成另一種機率
而我
凝視你
抓住盟誓諾言
纖纖羽化為銀河彩浪
且聽疏野森隱
溢滿絲絲
性靈的美善的
呼喚

泛黃的影像

昏澹的薄暮　你悄悄走來
那泛黃的印象
感光於二十世紀
廿一世紀被沖洗出來
虹　網住七彩的夢

當年　捕捉青春的鏡頭
是暖色的笑　放飛一線線嫣紅
姿勢竟溶入紫光霞蔚
是恆久彫綠的特寫
咬住光陰的分分秒秒

而今　在我人生發黃的歲月
可能離焦距太遠　影像錯疊
終竟被調入暮靄　夕輝　落日
向生命的閃光淡出

空　茫

虛空的魂影
　凌虛入夢幻
空濛的造境
　渺渺無蹤
此刻　我投入
彷彿　噓息
滲入
　濾出
更　茫昧暝暝
緊閉眼
　洞悟
有所有
無所無

第二輯　迷幻夜之變

迷幻夜之變

那天
你右手的魔杖一指
領我進入奇異的境界
微妙的時刻
看到你青春的臉

我一眨眼
淪入另一迷幻的視野
四周漆黑
起起伏伏
時間　很難分辨

夢寐中　你開悟一個情節
我和你合拍
那是秋天
記憶無限悠遠
那是春天

姿彩夜色無邊

是回眸的時刻
虛虛渺渺
感應不能遺忘的縫綣
靈犀交會處
無遮無掩
疏放後的
星星點點

班門弄斧

·給詩人木斧·

不是程咬金所使的板斧
上下一劈
乾坤定矣
劈出一個大唐天下
一把木斧
想劈出錦繡江山
那是
形而下的粗淺　嚇唬人
舞起木斧
形而上的震撼
就能聲振天府
威鎮華夏
而且
還要劈出一個太平洋　大西洋
舉木斧
催劈詩句

101　班門弄斧

大刀闊斧　運斤疾風
一劈一小令
再斲一雅律
金聲玉振　欬唾珠成
誰敢在此
班
門
弄
斧

台北・秋興圖

張大千先生大筆一揮
黑的黑　白的白　密密疏疏
台北的天空就這樣
幾枚線條　濃濃淡淡
幾筆寫意　舒舒散散
幾粒雲朵聚攏青空
高高爽爽
淡淡晶晶
煙霏雲斂
看　漾漾的台北天空
一群雁
振翅翔飛
攀昇　攀昇　要探測大屯山的高度
低迴　低迴　要探測淡水河的深淺
戀戀　牽牽　又翔飛往前
航向遠方
伸掌紅的蹼踩

踥蹀青石板的天空
將「人」摹寫青石板上
引頸企盼
那是詩人
最寒冽
最孤高
最寂寞　的清冷姿勢
而蕭蕭的陣列
隱入雲深之最
那背景似一箭鏃
直刺入天際無窮的深深　杳遠
最後
大千居士
將一顆滾燙的印鑑
以紅日之美　威鎮夢邊的一角
飛濺起台北滿天的金風

梔子花的韻致

妳　矜持的魄我
一尊蓄放的梔子花
我將吻痕
烙印線線金蕊
被妳慘綠的夢
吮吸黑黑的瞳眸

悠遊往來
跨越
岑寂的灰蒼
花姿的韻致
芬芳的馥郁
拼裝我青春的容顏

而今
撲朔迷離的年華衰減
行止不復嫣然

妳　花香迷漫
芳菲仍當年
凝視
黑黑的瞳眸
正等待　等待
另一次墜沉

我癡佇　迷惘
放朵成
妳心上的另一種花彩

二十二世紀

太極緩緩演繹
乾坤交疊推移
陰陽互動
風行華夏大地
浩浩乎　悠悠乎
文字始焉
中華文化巍巍峨峨
遂有
漢唐盛世
明清文明
之前的夫子賢人
誰能判讀臆測：
如今的電腦科技操作
我輩時人　尚拿捏不穩訣竅
今人意念之數位　如何
轉換成百年後之天機？
誰能？

確信
愛恨的交織
仍糾纏不清
良知的澄明
掌握人性走向
遠瞻
後輩子孫
寓旅外太空
遠離
故鄉
袖藏　冥冥漠漠
而不思鄉

古琴傳人

伏羲氏始陰陽於八卦
調成七弦瑤琴
伯牙輝映出高山流水
撼動神州數千春秋的音譜
飛揚慷慨　是震聾啓聵的發音

輕挑慢揉　滑弦遊走
輪撥跪指　揚升緩吟
托劈雙勾　撫弦舒興
引商刻羽　一曲絢麗的春江花月夜
大雅奏鳴　一闋生動的梁父吟

良宵引動滄海一聲笑
關山月照平沙落雁群
欸乃一聲山水意　陽關三疊訴離情
長城敵樓撥響奧運的筋脈
纖指轉動中原亮麗的和聲

浣花溪畔　玉壘峰麓
綺雯仙子鼓弦錚錚
青春的撫琴素手
華夏傳人
擊節中華古韻季季春

小記：二〇〇八年，應邀參加都江堰「第五屆老年文學國際學術研討會」聽古琴專家綺雯小姐鼓琴，悠悠的琴韻綻開滿堂華采，使在場的嘉賓沉醉其中久久不已；後北京奧運倒數計時周年慶祝活動，綺雯小姐應邀在長城上撫琴，大漢的天音，獲得各方的掌彩，故以詩誌。

窗前小品

捲簾
窗外一片新綠
羅列　蓊鬱的青春
盆栽　出自纖柔的素手
只有
欣賞的眼睛
才使彩姿
動容

飛來一枚蛺蝶
翻翔踊躍
靜靜的場景
嬝娜　芳菲　搖曳
掀起嫣然的騷擾
以G弦的音浪
層層浪起
顫悠悠

一窗的動感
我全神凝眸
溫婉迷思
彈指　頃間
繆斯抓住蝶翼
窗前的風景
上網了

邂　逅

如今　我們各有各的方向
你在天之涯　我在海之角
我們曾在碼頭　水港
在候機室　捷運車站
錯綜複雜的心境
化為雲　化為煙　化為塵
向點　線　面擴散
卻被牽繫在一次的偶然
因時間催逼　腳步的急促
將情牽的絲系奔斷
你奔向無涯　追逐無垠　向渺遠
我航向未知　更加茫茫無邊
靠回憶　緬懷你的一顰　一嫣然
記憶中　緊緊抓住那美麗的遺忘
低低呼喚　呼喚那不知的名字
回應聲聲空茫
只有悲吟　「人生不相見動如參與商」

今夜　無月無風
又不知今夕復何夕　又沒有燈光燭光
冥冥中從遙遠播散開來
虛盪盪的頻率
風　錯謬的返覆
我仰視長空
織女星熒熒的閃爍
導引我進入
美情迷思的淒愴

小記：一次偶然的相逢，嫣然未語，剎時匆匆而別，匿入人海，卻印象縈繞，久久不已。

小提琴重奏

主旋律迴旋在比黎明早些的
琴台　輕輕　徐徐　藍藍
每個音符　對襯的飛昇
隨節奏緩緩而行

緊閉眼
柔柔　軟軟
似虛　似幻　似夢
猛然凝眸　平抒的旋律
遊走入愛情的諧和
飄飄渺渺
夜色正嫣然
曲式的光暈
柔媚華麗
宛轉入清晨靜謐的時光
舒徐緩和的表情
傾斜的變奏

蜿蜒流動在翠提春曉
舞蝶翻飛的柳浪聞鶯

曳尾　拍節奕奕躍越
向高八度以上的呼吸挺拔
收縮在　花開　花謝
花落的流程
餘韻萎然耳畔
齊　浸透入音波的迷惑
繚繞綿綿
是最後一個音符的延長

共剪西窗一片雲

金風輕吻流霞
長虹彩搭幻夢
白雲無盡悠悠
都伸向無垠的穹蒼
華髮滋長
歲月如流
來！我們輕聲詠唱——

「記得當時年紀小
我愛談天
你愛笑……」

你可記得
南明河畔的金夢
扎佐豪放的壯歌
大別山麓的長嘯
十里長山飄灑一地的輕霧

都飛入心靈夜夜野唱
淮河水流滾滾蕩蕩
長江奔馳漭漭泱泱
洪澤湖水潑潑漾漾
在歲月的蒼白中
洄溯直上
邀請你　凝眸
那榮耀飛翔的青春
風雲雷動的年華

小記：與從軍好友相聚，回憶戰鬥歷程，慨嘆既往，
那是榮耀的青春，風雲雷動的年華。

一首詩的影子

‧詠高雄愛河‧

淵源於幽邈　從太初流來
涓涓滴滴的細流　潺潺蜿蜒
流淌成不朽的姿勢
不知何年　落日墜入海平面　「噹」
重重一錘　把高雄的序幕敲響

滾滾的歲月　緞帶的光影撲晃
摺疊起孤帆遠影
白雲　水鳥　魚群　一字排開
縫綣著愛戀的落差
羅曼蒂克的名字　愛河：響亮了

浮泛來原木拼貼的景觀
啓示未來特殊的多元風貌
數世紀的浪潮　激盪歷史的迴響
兩岸裝飾的夢景
遙指　凝望　呼喚今天

夜夜　霓虹燈躍進
把心靈點燃　將河心洗亮
飛濺起漣漪柔波
迎風歌唱　漩瀠彩舞
迤邐超現實節奏的動感

看　鴛鴦儷影
冉冉波心　是永浴愛河的祝福
翠堤河畔　有迷彩隻影
寂寞　伶丁　吟詠青春　讚美生命
啊　那是一張泛黃照片的寫真

小記：早年愛河有魚有蝦、水鳥，還有帆彩，愛河一隅有商人漂來的原木，儲存水面，是特殊的景觀。那時有一位青年寂寞伶丁，吟詠青春，讚美生命，詠嘆人生。

七月的一株荷

幾片翠綠的荷葉
圓潤溜轉
攤陳唯美的小宇宙

暈染灼焰的一株荷
緋紅的愛戀　放飛一線天
矜持臨風
欣柔的美儀很璀璨
你一臉的恬靜　玲瓏的歌痕笑影
拂過曲院迴廊　芊芊獨艷
擎起的一朵蓮蓬　孤特淨植
川流的光陰在此停棧
留連
遠遠　遠遠
落籍葉央的隻單蜻蜓
半撩半透明　好夢正甜

而汙泥下不涴的藕莖
咬住泥土　播種心事
澹泊致遠
蟄伏層泥的意願
數算悠盪的歲月
等待出土
南柯
夢圓

孤煢的歲月

那是無月無風無星的境域
所有的「有」和「無」虛靜得一片蒼白荒瘠
青春的窈窕　閃爍最美的光燦
冷冷的投射　靜靜的休克
心深的暗然　播散淒淒　杳杳
將芝粒的歡娛　緊緊的抓住　擁吻
怕走失了　會有更沉沉的感傷
抓得更牢　猛然察覺　那只是
冷漠　虛無　縹緲　孤煢
消失遠天仍是茫茫　捕捉到一粒非風
我也不知寰宇之寬闊
對心境有何可以補缺
當我發覺　彼此不能融鑄　洽合
捏著心的空寞　失茫而孤迴
盼望能有一點滲和的想像
結果都是在擊打自己
心靈震蕩卻無半絲弦吟

我知道　我是失聰　失盲　失嗅　失知
失去一切感觸　儼然混沌太初
只有杳渺　凌虛　窈冥
我無語　握住髮梢喊無奈
想想　活著的面目
應該拿捏何種表情才適切
熄燈後　心靈深處的遊魂
想邀約長庚來照明
偏偏醉後的李老長酣不醒
歔欷在無可奈何中
認定：孤寂走失了　孤樞無主
自己更可悲
我無淚　沒有嘆息　靈竅失真
漠然環顧：希望——
「有」和「無」再運作
搓揉成詩的意境

一路放飛

一路悠然自在
走過來
似乎是在順風中奔馳
蒼顏皓面　把人生裝點得厚實

陰暗　陽光　雨淋
印證了寂寞和孤獨
歲月折疊　錯雜縱橫
或糾纏　或顛簸
或飛虹暗影

命運主引下
詠一首顛沛流離的詩
低吟　輕誦
最後成無羈的放歌
傲笑塵埃　無怨無悔

登頂拔尖的
人生
時序未止息
攀上極峰拉頂
無盡盼望　無限遐思
等待春雷
驚醒我不停的
計時

進出光陰

光陰
來自亙古
申引無限　向無窮的渺遠
從無始
時間流成萬古的長河
沿著永恆流淌而去

那年
一陣風
套牢入司更漏滴的格局
日月星辰　運轉　滾動
生機的細胞
串連入分分秒秒

世代交替　人老滄桑
悲歡離合　夷和平
時序思序的運作不斷

演繹無盡的玄機秘密
是測不透的無底限的奧義

行經人生
岔口
與時間揚鑣

光譜加速　終竟
摔入向心的另一布局
冥冥漠漠中　隱約傳來
「滴答！滴答！」的擺蕩
迷茫　淡出矣
遠矣

省　思

每天　苦酒滿杯
品嚐　世代的頹廢
在　傳播媒體
明哄暗騙下
明知都是詭譎　是是非非
卻甘願任其
役使　留連　踟躕
被那些
藍藍綠綠的　爾虞我詐
長長扁扁的聒噪
把自己弄得
方不方　圓不圓
奇形怪狀　扭曲了心腸
真的　自己
慘遭失落了
泥濘了形象
所以　要

瘖啞那些傳媒
心冷凍　執著
返璞歸真
找回忘失的自己
才能回歸
繁放　久違的
花苑

赤條條的年華

老屋　靜靜的四合院
屋簷壓低了門楣
巍峨雄雄的記憶確已蒼老
眺望繁花金夢的曩昔
走進油菜花金黃色的童話
那株垂楊在瞳眸中
似乎還在盈盈飛絮
綠綠的溪水　仍潺潺奔流
跳入浪波　光著屁股　綠綠欲溪
光溜溜的歲月
放飛一線線天真瀾漫
是最雅稚
最原始的寫真
水波的肉感浪浪圈圈
赤條條水淋淋　一頭栽入
衝出浪層
幼小的手掌

只想抓住那朵小水花的翅膀
洄游過去　溯逆而往
遠遠傳來
「兒啊　燈已亮　炊已熟！」
噫！那是
媽媽殷殷的
召喚　呵護
愛的
無限　呼聲

自不量力

感戴　緬懷　歌頌　榮耀
堆砌　疊高的
大中至正
巍峨一尊藝術的晴空
是台北市中心的
一掌風景
才二十餘載
青春正茂
就古意盎然
風貌未老
而拔萃蒼勁

蠱惑者的迷思
以否定的辯證
更名曰「自由」
角力無勁　拉扯另一形式的意圖

我看見
枝葉繁茂的榕樹下
一隻蜉蝣撼動後跌落
我聽見
幾隻秋蟲
在一隅啾啾
悲鳴

烘焙一首詩

總是在一定的時刻等待
以詩的款擺
悠盪出熱量
盼望　烘焙妳需要的溫度
妳總是姍姍來遲

當我渴待得狼煙
嬝嬝
妳翩然而臨
微笑降低火氣
暖彩拔昇溫層

似乎妳未經光陰掃描過的容顏
飛躍入春光秀苑
我熟稔的透視妳的臉龐
也步入不衰的歲月
舞弄花影

妳將愛情的烽火昇燄
灼燒至詩的體溫
夜夜烘烤
我渴想要的火候
或更高的昇華

初　夏

初夏
拖著暮春的尾巴
東甩　西甩
尚有幾分天真　嫣然

陽明山　大屯山
殘英飛飄　有熟透的枯槁
有些許暗然的憂傷
那是春的回眸
張望　留連的尾隨

凋零的花絮　風殘的容顏
褪去了青春的彩麗
花謝花飛的美麗特寫
已謝景
墜入塵泥　發酵的紅顏更護春
目睹夢凋殘豔

有些許悵然
有時不我與的喟嘆

斗杓指東南
又是青青翠翠的繁茂
脫去層層
纏累　重負
人　就得適應生生死死的循環
四季換變的
溫熱冷暖

一方漂流木

命乎？
起始　就淪入吉普賽人的命脈
春秋被蹉跎在
波尖　浪頭　獨自漂浮　行吟

前瞻不到盡頭
捕捉不到命運的走向
水流濤聲中　跋涉千山萬水
翻覆滾滾　潺潺　蕩蕩

狂潮飛騰的歲月
載浮　載沉　躓礙　滅頂
風飄雪雨的歷程
逐流無終的冥想

有幸　盪漾在春江花月夜
落英繽紛　澗綠環伺

歌韻瀟灑　醉入惱人東風
頗有些許風流倜儻之感

曲曲折折的水域
韶光痕印斑斑
歸一　停泊淡水河畔
影形蒼焦矣　殘顏破碎
曰無用
有人説　是大用？

唯有杜康

乾啦！
泳浴殷紂的酒池
乾後李白不上船的
瀟灑
暢飲杯酒兵權之轉移

乾啦！
虞姬烏江惜別的
悲泣
貴妃醉後的煽情
黛玉淺酌的淚垂

乾啦！
燈紅酒綠燦爛的
夢幻
仰飲千鍾不醉
情結密底的坦然宣洩

141　唯有杜康

一杯　二杯　盛情　難卻
千急　千急　小心
酒駕
倉惶失措
連鎖效應　斷魂離恨天

釣魚台

帝國主義的時代
往矣
不平等條約
早已廢棄
東亞共榮圈的符咒
已不靈了
九一八的慘痛猶新
一二八的烽火
仍在記憶
南京大屠殺
血跡　斑斑未乾
大和魂的軍閥
正借屍還魂
想登上
釣魚台

垂釣已死的魔夢

陳毓祥先生

作了衛土的愛國烈士

凜然的正氣

化作成仁取義的風標

中華民族的兒女們

起來

前仆後繼

捍衛國土

以新的血肉

將帝國主義者

爆炸成蕈雲

再成

廣島　長崎

鳴沙嶺的奇幻

我攀登沙角山嶺
稜線蜿蜒多姿
抑揚起伏
盤亙綿延數十里
伸手指向
探取鉤玄精微可致遠
紅　黃　綠　黑　白的彩沙
風情萬種　踔厲風發
平整無涯　幻變莫測
是狂風剪裁
微風精彫
細風琢磨
俄然　深谷變為丘陵
彈指　沙崖旋為壑深
連天一線　一頃無垠
詭譎多端　一夕數變
喟嘆自然之神奇　巧奪天工

是造物者的擘籌
諸天的造化
鴻幅鉅製
是華夏旖旎的風光
邊域的特異風采

小記：鳴沙嶺在甘肅酒泉市。

陽關故人情

沉沉的漠野
冷凝陰陰的沙山
馬姿　駝影
暉映戈壁的茫原
跋涉絲路故事的遠影
展示靜美詩一般的傳說

與詩友們
微醺於酒泉
你美成秋光中的紅楓
我逸成黃昏的一首歌

舞就千姿　紅豔飄然
欲醉了秋風
饗足了落日故人情
情深彌久而彌穹

我引吭（陽關三疊）
「勸君更進一杯酒
西出陽關無故人」
都說　舉盞　乾杯
飲盡了夜光杯中的熱情
義深彌堅而彌恆

小記：二〇〇二年九月十五日起的絲路之旅，經甘肅酒泉市的月牙泉（又叫渥洼池）和鳴沙山（又叫沙角山）。鳴沙山常發出奇妙的天籟，如歌、如哭、如笑、或為擊鼓定音等。而無垠的鳴沙山，姿影隨風勢而變形，彩姿多瑞，月牙泉平正如鏡，雖在沙山之麓，經歲月悠悠而不被填滿，據云內產可長生的七星草和鐵背魚。在酒泉與詩人歡聚、怡然自得，人生快事也。

歌手麥可

整日在熱浪中滾蕩
包紮白套的手
指點節奏　彎曲了意象
音符飛燒火的體溫
淒厲的脈流噴張
芬灑四周　瘋狂的粉絲們
熟煮了青春
人與人之間的彼此
劃上了等號
靈魂裸裎　赤赤的野性
原始　獷放
一顆待垂的夕陽
竟然在搖搖滾滾中墜落
是另一類憂鬱
另一式斲喪
一杯半盞
佐飲下命定了然之疾速

啄食下粒粒錠錠
回響著群眾的吶喊
不知不覺　藍橋夢碎
平躺是唯一散落的休止符
立於等量線高　聽
《Heal the world》嬝嬝歌聲
從此　麥可
不再失眠

戰　爭

戰爭　戰爭　戰爭
恐怖　恐怖
扭曲了心靈的動脈

戰爭　戰爭　戰爭
毀壞　毀壞
突顯地獄的猙獰

戰爭　戰爭　戰爭
瘋子　瘋子
人性粗鄙的狂妄

戰爭　戰爭　戰爭
死亡　死亡
生態均衡的定奪

自認靈長類之智者

愚昧 愚昧

技窮 德薄 愚蠢

孫武 吳起 黃石公

拿破崙 東條 克羅塞維次

罪孽之輩 一群屠夫

禍害於地 負罪於天

生命三檔次

昨天　降生
今天　生活
明天　對世界說：再見

降生　歡天喜地
　好像一切無限美好

面臨生活
　碰得鼻青臉腫
　到處是陷阱
　該死的不死
　不該亡的　正寢必然

明天
　太陽不會死
　我卻油乾燈草盡
　到暗處去尋找

那永遠不能兌現的爭執
這就算是結論吧
說聲：再見
一顆釘子
釘了上去
蓋棺

丟下你的手術刀

·敬悼耿殿棟醫師·

提著生命手術刀
歷經砲聲隆隆的年代
走過苦難的歲月
從黃河兩岸
闖蕩大江南北
最終在淡水河畔
結廬　生根

在你精緻的刀下
許多垂危的生命
起死回生

當你正以熟練的動作
解剖歲月
且將自己
拍攝成不朽的風標
竟然　跌失在生命的漩流

向永恆滑翔而去
從此
聽不到
　你的幽默話語
看不到
　你謙和的人品
丟下手術刀
　進入神的國度
那裡沒有　疾病　痛苦
　　　　　死亡　悲哀
你的靈魂　將安息於
至高神的國度
永遠的失業

美麗的人情味

我是天空裡的一片雲
偶而投影在你的波心
………………
………………
你有你的　我有我的方向
你記得也好　最好你忘掉
在這交會時互放的光亮
〈偶然〉徐志摩

台北10路公車
上車　已無位可坐
只好帶著萬古的胸臆
沉浸生活的醉意夢痕中
過了一站　有人下車
一位女孩對我說：「請坐」
我說：「你先來」

她說：「不，我比較年輕」
　「不，還是妳先坐」
　「不」
時間在僵持　溫馨瀰漫於分秒
一位掛著書包的女學生　上車
一屁股坐下
我說：「看，她比你年輕」
我們相視而笑　迷惘　溫馨
那女生
翻著眼仰視我們
之後　安然入睡
她
的確太累了

第三輯

庚星換彩
新春福釐

2001-2015
（民國 90-104 年）
（缺 2002、2009）

2001採菊吟

二十世紀結束了，劃下生命的分號，減除一切的纏累、重負，進入二十一世紀，人們相信會過著自由悠閒的生活，實在是我們的福氣。我們以感謝擁抱的心情去適應，日日唱美歌，才不致虛渡芳華，願與諸君共勉。

在新春踏著節奏即將駕臨，特別向舊識、同仁老師致最高敬意——

淡出杏壇
　桃李爭芳吐艷的景象
　　仍歷歷在目
而
　　　弦歌繞梁飄蕩
　　　昨天的燦爛　輝煌
已往矣
　　　今日　摹擬
詩人採菊
　　敞開胸膛　南山天天在望
　我剪裁南山的彩夢
赫然發現
　　　　陶潛悠然在看我們呢

2003 花弄影

長鬣藏雄風，巨蹄展風飆的嘶鳴已隱去，劃下分號，減除一切重負，進入羚羊蹄跳，躍奔的歲月，淡入清新利淨的生活，乃是我們的福氣，將以擁抱、奔躍的美姿去迎迓！日日歌詠，花月良宵。願與君共勉！

春風花弄影
　搖曳鮮麗的金蕊
彩姿露華濃
　漫溢紫氣的繽紛
椰枝煙雨中　憶及
　遠方尋夢的你
　拾起一枚飛英
　迎風吹去
祝禱～
　吉羊　福千

2004 花果山

二〇〇三年在飛沫水花橫飛中躍越跑了，一年來，雖有危難重負，終竟安適過去，緊接是二〇〇四年的來臨，歲月另換風貌，E時代轉動千奇百采，眼花撩亂，我們仍不放棄綺夢和釀造詩意的生活。盼君：掌握春秋，乘鶴而往，閒雲而來，不至花落水流。謹此共勉～

癸未　脫跳奔馳　平安過去了
甲申　斗換星移
由孫悟空當莊
踊躍花果山　手搭涼棚
極目
一涯萬紫千紅，揮退了冰雪
夢從花萼中甦醒
芳菲萋萋
搓揉成一團祝福的蒼翠
遙遙　擲送過去
一夕發酵
釀你　燦爛一枝春

2005 雞鳴早看天

時序進入另一嶄新歲月，抱著歡欣鼓舞的企盼，嚮往夢一般的憧憬。時光進程永遠美麗，充沛新奇和仰望，踔厲風發，烈烈心旌，大踏步，歌頌詠唱，皇皇飛奔，向二〇〇五年邁進，忘掉黃鐘毀棄，瓦釜雷鳴的不協律，巧言令色鮮矣仁的口水紛爭；五更燈火，雞鳴早看天，是圖強莊敬，發憤起舞之時，燭照數計，請君掌握！

歲月的巨輪　夾著風雨雷電
更替時令　斗杓星移
金雞獨立　雄姿昂然
孳孳為善　喔喔五更啼
喈喈四方　啼啼早看天
任他天外翻雲覆雨
光搖千彩　掩映生姿
謙謙君子　刷新心境
揮灑醉墨　靈動香影
筆縱風雲　集天下司晨
喔然長鳴　展示另一種風景
巍峨雄冠　拱戴另一種壯麗的日出

2006 懷念・期盼

一年又過去，往者往矣，讓我們忘記那灰沉沉搬不動的遺憾和揮之不去的陰霾。二〇〇六年已臨，我們肇始嶄新的嚮往，光搖千影，有火花交作的歷程和博大深湛的遠想。讓我們掌握新的命脈，繁茂火樹銀花，簇擁為新時代的洋洋巨流。

驚雷　震動蒼茫八極
蟄伏的夢
從慵懶的睡夢中復甦
又是一元復始　久違了　故人舊友
甩開暮靄沉沉的歲月
割斷艱澀思維的糾結
隨著薰風
繫著萬紫千紅的問訊
殷殷的期許
我的懷念套牢了你的影子
瞳眸中　向遠方裝滿了你的倚盼
交疊的心音　飛傳快遞
催促你快踩踏著詩的韻浪而來

2007 新的超越

藍天綠地的景緻，本來是勻襯美麗的調色，徜徉、徘徊、盤桓期間，會有抒放高越的感受，一旦藍天密佈陰霾，綠地充斥迷瘴，色調的線條，被扭曲破損，此其時，快把心靈的觀景拉升，回歸寧靜自然，橫掃陰霾暗影，廓清迷瘴黑霧，敞開裨益世道的一貫真心，以獨醒獨清的高潔情懷，迎　丁亥新春的蒞臨，觀瞻人間最美好的正面，仰觀朗朗乾坤，樂哉於形、快哉於心，拔騰於五色之外。

不管陰霾迷瘴的困惑
山雨欲來的白刃　短兵相接的纏鬥
不管非鹿非馬的辨證
夸誕不經的口水　黑白蜚語的質疑
讓　全新歲月　吞吐八荒
孕育新的意象
由詩人鼓弄平仄　敲擊音韻
風迴紙上　筆尖燦花
共同來締造一座
現代精金的新耶路撒冷

2008 年的奏鳴

　　天行健，歲月規律的運行，朗朗直前，每分每秒，珠玉有韻，節奏有度，生命在愷愷律動中，又屆歲末，二〇〇八年來臨．在年關交替之際，君子當自強不息，歌我們的歌；誦我們的詩，羽聲慷慨，晨更起舞，迎迓三陽開泰，萬象千秋的發軔，請君掌握不要錯過！

年歲的腳步　踏著定音鼓徐徐前進
敲擊的節奏　均勻合度　鏗鏘力勁
堂堂進入二〇〇八年的音域
踴動的心跳　隨節拍起伏
緩緩的詠嘆
引導顫動的生命　融入混聲的大合唱
一應一呼的響亮奏鳴
從歲首縱橫飛昇
我踴踏風雲雷動的鼓點
懷念　在音符中的吟哦
祝福　在旋律內的昇華
宣敘　抑揚的頌詠
迎迓三陽開泰　萬象春回的發祥

2010 虎　嘯

經濟蕭條，氣候不景的牛年往矣，耳際虎嘯聲聲洪亮，世代的節奏，起起伏伏。往往命運多蹇，勞人草草，此乃必然，我們要超越跨欄，必否極泰來，黍谷生春，我們要攜著感謝與祝福。花香與夢彩，向幸福的 2010 領域靠攏。擠入，機不可失，請別錯過！

兩岸風雲　已嫣姿彩然
有暖洋洋的映照
拋棄那些　陳舊包袱　死寂
讓老牛　負著不景的氣候
飄然出函谷　不知所無
隨著新意象
騰躍於山崗　野嶺
嘶鳴於叢林　溪畔
縱橫翻飛　風飆響亮
那威踞盤石上的英武之姿　披戴
曙色　旭日　麗天
聽　是活潑炫燿的
雷鳴　虎嘯　又是嶄新的開始

2011 脫兔歲序的逸致

歲月運轉，前進不息，生命孳生　綿綿無盡。兔卯馳脫，快速敏捷。蕭索的景象，似乎已過去，應是風華奔騰，啟動的到來。我們心懷感恩，接受主宰的賜福，進入神恩的領域，迎迓三陽開泰，萬象千秋的肇始。我們勇敢　奮發　掌握，機遇不可失

歲次　進入　脫兔之年鳌
輕靈的歲月　細細巧巧
祝君　新春奔騰　風發
那些　藍藍綠綠的爭執　長長扁扁的較量
終將　幻入輕塵　硝煙　空茫
二〇一一年　掌握繆斯的啓示
讀風　觀雨　吟詩　賦歌
情結可能殘陋
請投射生命的光影
閃耀光華亮麗的天
如斯　將會有艱辛的腳印　乃
是夢被暖熟的痕跡
孜孜惕厲　撲朔迷離
守株　待兔　不宜　切記

2012 繽紛的希望

豈止藍綠的造境
黑白的天
乃五顏六色的調色
風華絕代無邊
色彩的丕變
天機不可預測
緊握命運的方向
邁動君子自強不息的節奏
自有　多彩繽紛的陳現
看
躍昇　一灣虹彩
榮耀　亮麗
在天

2013 迎新歲

走完五味雜陳，抗塵走俗的一年，二〇一三年來到了，也是癸巳甲子的輪轉，渡過世界末日的荒唐，歲月掀起新風貌的敞開，懷感恩的心，接受上帝的賜福，迎接三陽開泰，萬象千秋的肇始。我們勇敢、奮發、掌握自強不息的契機，閃光耀新生的激情，再造朗健的乾坤，請掌握，機不可失。

披荊斬棘的　歲月
斬斷了　有情無情的千索
陳舊的過往　世界末日的荒謬
瀟灑的引渡
度入二〇一三嶄新的結緣
開悟祝福的啓示
搖醒萬千氣象
驚喜多彩燦亮的光影
有聖靈奧秘的訊息
有主愛殷殷的期許
綻放信望愛的蓓蕾
劃破一匡夢囈　迎來
琅琅的詩聲　空靈

2014 甲午・和平

二〇一三年的現象：〈假假假……〉社會被抹黑了，鳥煙瘴氣，這是正常現象。社會本來就是晦暗不明。罪孽之徒，如聖經說：「看是看見了，卻不曉得；聽是聽見了，卻不明白，因為油濛了心。」世事就是如此。唯伶仃之士：清清爽爽，純真樸實，是你吧？是我？是一群默默之人？才使暗污之所，保留一線生機，故　要勇敢，要自信，輕蹄風飆　馳騁而奔，何懼之有？陰暗中，閃一粒光亮，閃．閃．閃……迎接新希望：二〇一四年

歲月不止息的延伸　時序　頻頻更遞
風蹄得得的踩踏大地節律
是嶄新奔騰的日子登臨
韶光荏苒得使人淒迷
而今甲午已無烽火　偃旗息鼓
靈鴿叼枝　寶鳥安祥無恙
策駒長嘶　尋覓生命之著力點
馳騁而奔　緊扣晚景之康健
斗杓換位　桃符染紅兩岸
迎迓新歲　幸福詩喧祝豐年
藍藍天青　主恩　榮耀　無限

2015 新春頌語

陰雨霧霾，吵吵鬧鬧，口沫橫飛的日子，終於馳騁過去。甲午年雖然有許多不如意、欠理想，仍令人戀戀不捨，畢竟那是我們走過的光陰，去了不再回來。翹首期盼乙未年，夾著春的訊息來到，四季輪轉，花開花謝；潮起潮落歷經歲月悠悠，讓我們的詩，溢滿春的草香，一片明媚的視野，展現希望。一年來，感謝你的愛護　信任　鼓勵，一路相挺，鼎力之德，義薄雲天，沒齒難忘。

捧著歲月的辛酸
步向光陰的那一端
點燃　未竟的不變意象
穿梭於一〇一的天空
羊羊得意的開始
酡紅紫綠的滿天煙火
飛舞世世生生的蝴蝶　彩姿絢爛
越過艱難辛苦
追尋永世深遠的　夢境
切盼未來的韶光　更美麗　更開花
我默默的祈禱　祝福　為您

第四輯　營造情緒的超越

營造情緒的超越

如果煩惱是自尋的
應該多摸索方位
另圖經綸　及時
欣悅　和諧　種夢
曠野陰暗夜
會有螢火來點燈

人生短暫
今日的命途尚拿捏不穩
明日
走上離合悲歡
或冷泣淒慘　誰知
何不效莊周自在逍遙
擊盆而歌　噹！噹！
定音於生命的節拍
翻飛蝶影變化的旋律

又可曾設想
自己是
一根木柴
自熊熊的火焰中抽出
經過死亡
冷凝後
何其幸運
刻琢成某種再生的氣候
或劫後的嘆息
髹上曾有的焦糊味
列入藝林
這是怎樣
異數的蛻變哦！
驚喜中
把殘夢
調和苦酒

調入星月輝光
半飲半酌
再見 所有的灰 暗 鬱結
煩惱開釋
飛騰起另一種凌雲的野放
了然於穹蒼 地漸漸失引力

註：此詩榮獲二〇一〇年，天津市第十九屆「文化杯」特別獎第一名。

自　勵

人生的途徑都是曲折　多難
在乎　有人能將路走直
從荊棘中走出來
不明究裡的人
認為　是
好命　亨通無阻
　　　一帆風順

路　必然很狹窄
　　　又艱險　顛顛簸簸踉蹌溜滑
上路了
漢界楚河　卒子爭渡
就是義無反顧　勇敢直前
　　　坎坎坷坷　跌跌撞撞的
搖撼著心旌　衝擊的
走出

何不瀟灑一點
　不必踽促一隅
把自己幻化為一顆星罷
夜夜長明
　舞台是空際
盡情揮灑
豈不愜意
　　前面是銀河
要走長遠的路
歇歇腿　浸浸腳
　為承接宇宙的噓息
　　喘口氣
把命運交給
　努力　繼續　再造
　　反復的滌洗　腳浸
　瑩瑩的燦光

把自己閃爍
好好的把握
遠瞻的憧憬
有一個晶晶的亮眼
等著去點明
豁達
一則醒目的
風采

生命之回馬腔

找出一堆理由
或者就以「三月詩會」作焦距
大家聚攏開釋
剖白自己　調侃詩趣
冷熱諷的互相恣意

惜乎
三、五老友
三三兩兩　瀟灑的
走出定數　太匆匆
無所謂定論
大家都是平凡
是無何可以計較的

人生無常
誰也沒法把事情說得準
有人期盼　伸伸腰

碎步窸窣
景色幕落之時
疾風而逝　乾淨俐落
又有人遺願
成灰撒落——
大屯公園
化作春泥　護花爭豔
招惹婚紗來彩影
似乎是麗思雅致未了
緣盡淒美的留連
大有風流之嫌

人生急促之際
相敘於
繆斯的蔭庇
或許可以把管道
阻塞緊些

生命的漏失多一些等待
乾脆　來
趁時
半盞苦酒
一碟夢幻　細嚼慢嚥
品味
生命
另一方脆鮮

日本三一一震撼

宇宙突然精神分裂
九級超強的大地震
在日本宮城搶灘登陸
挾著鋪天蓋地的威勢
捲起數十米高的狂潮巨波
咆嘯在太平洋上
地平線被擰曲形象
萬劫沉淪的吶喊
震撼陰間門户
數萬生靈　人仰馬翻
席卷入瘋浪狂爛
山　趕離億萬載根基的家鄉
地　撕裂崩盤變形
河流　扭斷　彎折　沒有了血淚
玄黃翻覆　鬼號神哭
飛來橫禍　慘絕人寰

東瀛板蕩　伏屍沃野浪漂
天災劫難　慘不忍覩
板塊吞沒死亡　暴戾恣睢
親情定音於黑暗鬼域
櫻島的繁華美麗
剎那
戳破了人定勝天的奇想
拆穿了科學萬能的迷思

瞬間
大和民族
愁雲慘霧　碎裂成猙獰的震波
武士道凜凜威儀
一夕　旌旗碎裂　在瓦爍下呻吟
於是扶桑數萬人夢碎
心傷

福島核輻射　趁火打劫
殃及魚池
向世界散飛飄落　陰陰　紛紛　人人愁
人心恐懼　搖震數億千家萬戶
徒呼　宇宙主宰　奈何

燈火雖殘　未熄滅
蘆葦壓傷　未折斷
珍惜
殘力　愛心　餘震力量
向宇宙主宰合十
敬天惜福　護佑斯土
孵出另一輪日出

無　猜

我凝眸
妳熟透的風采
被歲月的癡迷
描繪成
千秋難忘的挺秀　萬端彩繡的留連

往昔
靈敏　機智
雍容的氣度
眉宇間
隱隱約約的
浮雲掩月般映透出來

感觸時間錯綜蒼茫
歷經歲月的洗練
梔子花仍年年繁放
雙辮縱情擺盪是青春的牽引

捉弄我的心律急促至今未停

從妳笑靨中透視
韶光富饒的影像
及晴空日麗的開朗
是妳典雅的傳情
在冷暖的塵世
不用山盟海誓　指縈繫半生的坦誠
無怨無悔　了了塵緣
妳是唯一的知音

熱浪　一波波　翻滾過去
滾向清涼
冷卻後的花開花落
鬢髮彬彬
神聖澄明
無所欲　無所需

回歸恬靜
一派爛漫無猜的
天真

小記：青春時的愛情，失落了；轉換為年長之友情，如童稚之無猜也！

未來

未來　是個謎
不是先知　哪來異象
憑空捏造
幻想之所之
或許有詩
估且如此這般的
想像——

太陽已死　地球脫離環系
在太空中流浪
尋覓被套牢的駐足
撞蕩成銀河系的
一滴淚
一個氣泡

人類抖落一身紅塵
離鄉背井

為生命的期盼
有新的憧憬
在　另一星球學習
喘息　漫步

戰爭的碎片　不再拼湊
更不會劍光血影
死亡的催逼
嶄新的境遇中　擺脫了糾纏
掌握住的生命
連成一氣的呼吸
綿亙　無限的延長

銀河
渡口
一朵藍色的星雲
飄過

那是故鄉
裊裊升起的炊煙
冥冥漠漠中　一片茫然
恁地　無語
問
蒼天　一百七十二問外之
唯一（註）

註：屈原的《天問》有一百七十二問。

第五輯　風雲雷動的年華

風雲雷動的年華

・為貴陽投筆從戎同學而歌・

那是
風雲湧動
山河板蕩　國脈垂危
中原淪陷　江南異色
烽火連天　戰鼓頻催的年代
我們是投筆從戎的書生
我們是慷慨悲歌的壯士
我們是臥薪嚐膽的小兵
我們是不怕斷頭的少年
這是我們的歌——

烽火滿天　血腥遍野
中華民族遭受著空前的浩劫
我們在苦難中長成
我們在大時代的烘爐裡鍛鍊
成一個革命的青年
……
……

生命逆轉處　風雲湧動
躍馬中原　馳騁大江南北
在狂飆的烽火中
　　曾醉臥大別山麓
與黔靈的精英聚會
　在洪澤湖畔長嘯一首歌
喋血八仙台戰役
　初嚐交兵的苦果

進入
怒潮澎湃
黃埔革命的搖籃
撼動巍巍鳳山　激越浩浩河海
氣勢如虹　彩搭遊子的初夢
一、二、一　一、二、一
古銅黧黑的膚色
　閃放亮麗青春的華彩
烈陽蒸蒸下的紅短褲

燃燒飛焰火海
活力閃耀的年華
英氣貫日月
在七一四高地
在望雲山麓
輻射英雄們輝耀的光環

叱咤古寧頭的烽煙
招展起勝利的大纛
旋轉乾坤的一擘
轉化了日月星辰

五千年風雨雷鳴
億萬代宏圖大展
磨劍洗仇的壯志
奔放春秋大義的忠貞
頤養綱常的浩然正氣
顯清操厲冰雪的忠誠
夙夜匪懈　秣馬厲兵

捍衛復興基地
　終使
太平洋風暴偃息
紅潮滾浪雷池止步

往矣　如今
懷抱真理　傳承未竟的憧憬
展讀血淚的青史
呼喚美麗的明天
飲醉了夕陽　黃昏更顯燦爛
歲月雖老　仍駐留揮灑不凋的夢
世紀風塵滾滾
心中仍狂飆疾馳
老兵不死　也未凋零
唯願
化為清風　展向虛無
飄向
雲深不知處

黔靈之星

‧大法官李志鵬學長追悼詩‧

大地血海怒吼
長江黃河悲嗚
中原板蕩　動亂頻仍
中華民族遭受到空前的浩劫
你以少年十五的勇敢
慷概地　走入——
萬馬奔騰　青年從軍的行列
把飛揚的青春
馳舞在神州大地
招展成一面雄偉多姿的大纛

痛飲苦難歲月的辛酸淚
餐敘歷史風雲的淒風苦雨
掃蕩大別山的焰紫塵逆
輕吟淮河的舟子悲歌
至終　在古寧頭以一挺馬克沁
扭轉乾坤　轉化日月星辰
篤定台海的風雲
憑一朵洞穿的槍花

懸掛一座榮耀不朽的勳章
飛躍青春的年華
生命掀騰向艱困中奮發
孜孜不息　朝惕夕勵
重拾書篋　層層漸進
掌握人生關鍵的重要轉折
終於　加冠為美國加州法學院博士
進入立法院議事殿堂
喉舌載道　把丹心握成真理
十餘載的風範　強國為先　利民為本
堂堂諍言　恢宏雄論
震撼朝野群黎　邦寧國定

飛皇入人生最璀璨的實現
特任為大法官　是憲法的守護神
殫精竭慮　戳力奉獻
開創壯實生命的彩虹麗天
以淑世觀的信念　映照星月

耀眼這一彌厲艱危的世代
也是耿光灼亮的自我肯定
完全一生最磅礡的終結

進入黔靈悠悠之會盟
心繫故土　盡責鄉黨
將緊握議事鎚的鐵掌
運作為苗巔山脈的來往走向
再從愛心掏出鄉情的花朵
裝點古夜郎的鄉思夢
靜夜思的嘆息聲中
鄉愁點化為朵朵飛蝶

如今　您輕盈的跫音杳遠了
榮耀的精芒　貫沖斗牛
向混濁的世代獨放異彩
您謙和堅毅的風範
光搖千影　紫氣飛昇　垂典後世

鄉人因愛為之頌讚——
您是
執干戈衛國的戰士
議壇葆民的先鋒
民主憲法的守護神
看　黔靈之星
天流化澤　炫轉光環　美動激情
輝映朗朗的中華青史天空

二〇〇五、十二、廿五、於板橋

後記：大法官李志鵬君，貴州修文人，早年從戎，曾轉戰大江南北、黃河兩岸，參加金門古寧頭戰役，當時是一個小兵，獲得勝利，負傷榮退，重拾書篋，專心苦讀，獲得美國加州法學博士，是台灣大兵傳士之一。當選立委，進入立法院，後特任為大法官，終結一生。晚年服務鄉梓，化鄉愁為朵朵飛蝶安祥自在，於二〇〇四年十二月三十日逝世，享壽七十三歲。

第六輯 附錄

好個「火化一根長壽」

——金筑「似神仙」讀後

謝輝煌

詩是詩人表達意見的工具。惟意見若要「表而能達」，「達而能懂」，關鍵在詩中有無可供聯想的線索。以此角度來欣賞詩人金筑的〈似神仙〉，便絲絲人扣了。詩如下：

漆黑的夜　被
腥紅的煙頭灼一個小洞
夜驚叫起來
魂魄痛苦的吶喊
夜夜
灼燒得千瘡百孔了

沿著孔洞走出去
薰香旛引
正火化
一根「長壽」

此詩的題目，取自老煙槍嘴裡的「飯後一支煙，快樂似神仙」，相當傳神，且能使人立即產生聯想，並據以檢驗詩中的內容和意象，是否都能統一起來指向「吸煙」，形成焦點，導引讀者進人詩境，而不致墜入迷宮？吸煙有害健康，但有吸煙習慣的人，見煙如見寶。一支在手，不點不快。點著了，吞雲吐霧之間，彷彿什麼都不缺了，這大概就是「似神仙」的來由，因為神仙要什麼就有什麼，也是什麼都不缺的呀！

神仙是長生不老的，世人無不嚮往。當年的煙酒公賣局，抓住了這個社會心理，便推出了「長壽牌」香煙，為蔣總統祝壽。煙盒上不但有篆體的「壽」字，而且還有南極仙翁和松、鶴、鹿等構成的「壽」圖。印刷包裝，金碧輝煌，是名副其實的「壽煙」。雖然，詩人並不吸煙，而能從幾百個香煙牌子中，找到這個最能稱職，且無可取代的主角、作為表達「勸人戒煙」這一主題的代言「人」，不僅難得，而就為詩選材的技術言，也不輸於名將的選鋒（打頭陣的部隊）。

詩以「漆黑的夜」為道具，目的在便於和「腥紅的煙頭」形成強烈的對比，也可說是冷與熱、恐怖與喜悅的對比。癮君子在山中夜行時，就常以吸煙來壯膽。只是詩中的「興」的手法，與「似神仙」的快樂無關。但和第二句一聯繫，就產了戲劇性的變化，即「漆黑的夜」、「被腥紅的煙頭」征服了。這才有了癮君子「勝利」的後笑，也是「爽」的滿足。

「夜驚叫起來／魂魄痛苦的吶喊」，進一步寫出了癮君子的得意。這時，夜已由物格轉化或變形為人格。

「夜夜」兩字，係用疊字法來量化「夜」的數目，加深「灼燒」的程度，下句接以「灼燒得千瘡百孔了」，便順理成章，而癮君子得到的快樂也就更多。

「沿著孔洞走出去」，是邊走邊吸煙的實寫，形象鮮活。但「出去」那裡？是成仙的九天，還是做鬼的十八層地獄？各自去想像。

「薰香旛引／正火化／一根長壽」。這三句，不僅回答了「出去」的問題，且生動地徹底顛覆了「似神仙」的飄飄假相，報以自食其果的「夭壽」的殘酷真相，以凸顯強烈的諷味作結斤，且結得俏皮，很是不俗。在手法上，多重運用「轉化」如癮君子轉化為香煙，再轉化為薰草零陵香，因香招來焚身，再轉化為旛旗，回頭再來導引「借代」香煙的「長壽」（還是癮君子的轉化），使得詩意更形曲折迴環。尤其癮君子化身為二，自己旛引著自己去「火化」，寓含「吸煙早（找）死」的警意，這就很夠癮君子去深思了。

綜觀此詩，自始至終，都不離「吸煙」。雖黏皮帶骨，而不覺膩；雖捕風捉影，而可供聯想的線索不絕，一逮就著。尤其最後三句，收得靈巧而意新語工，不可多得。惟在結構和語彙上，有三點建議。一是此詩宜兩節處理，第一節到「魂魄痛苦的吶喊」為止，有如一聲吶喊而幕落，展現吊人胃口的勁道。二是「夜夜」二字，含有較長的時程，且未必都是「漆黑的夜」，故在場景上無法接軌。若將「夜夜」改作「夜　被」，不僅可和第一節首行形成排比的形式，且可承上啟下，順利完成接軌的工作，加深詩情的濃密度。或許，用「夜夜」的目的，是擔心在一個「夜」裡，「灼燒」不出「千瘡百孔」。但若能把「煙頭」作為群體去觀照，如昔日軍人夜行軍休息時的吸煙盛況；便有「千瘡百孔」的場景了。三是「沿著孔洞走出去」，和「沿著洞孔走出去」，聲調上略有差別，而「洞孔」較為順口。不過，微疵不損大意。所謂「質勝於文」，大概就是這樣吧？

詩畫人生・瀟灑歲月

——悼：詩人王祿松

金　筑

突然，聽到你大去的消息，如晴天霹靂，真不敢相信自己的耳朵；畢竟你真的逍遙自在的走了，疾風而去，走得太快，太匆匆，沒有和好友們說聲「再見」！也沒有打個招呼，連暗示都未有徵兆，就逕自沉輝，大雅兮亡矣！

你成長在偉大劇變的時代，五十年天倫夢斷，半個世紀的奮鬥生涯，掌握了一枝鐵筆，筆峰犀利自由往來，從容揮灑，風華詩藝壇數十年。你的激情在烽火中燃燒，在洪爐裡冶鍊，因此詩有陽剛豪厲之氣，烈烈旌旗，慷慨昂揚，腳踢崑崙金鼎，掀湧長江黃河巨浪，真是英氣貫日月，浩氣沖斗牛。近些年來，耳順金風搖，甲子驚艷秋，春風綠了江南岸，白山風霜了黑山頭，長歌短句變得婉約多方，畫作柔美絢麗，淺紅淡綠，別具格局。正是前後揉碎，取之中庸，不偏不倚的瀟灑，充滿人間之至愛，氣壯之溫情。

記得，我們曾有一次人生逆向的「詩之旅」，在時光倒敘中形色匆匆，反撲當初金色的年代，你很高興《遇到童年》，你說：

> 冷雨黃昏，荒村小徑，遇到我襤褸的童年。他匆匆躲進茅草亭，手握鉛筆，在皺了的紙上畫畫。我就近，問他畫什麼？他仰著菜色的小臉，用大眼睛望我，說：畫一個太陽，晒乾身上衣服，再畫一個藍天，放心靈的風箏。
>
> 我聽罷，不禁掉淚而將他摟進懷中呵護，卻不料兩手抱住的是衰老的自己。

你老淚縱橫的悲嘆不已，童年的時光，讓你的童話故事，飛翔在暮靄的蒼茫中，幻化為雲彩，溶成詩、溶成淚、溶成歌的清唱。

你永遠不會忘記，小時候在五指山麓牧放耕牛，有一次你自吟詩卷，忘了牛隻，竟然《失牛》——

> 牽牛花擎著紫晶杯，一杯一杯地，痛飲南風，然後，醺然敞衣高臥竹離巴上，一副旁若無人的樣子。

當秋悄然走近它，用愛搞笑的西風將它一朵朵地，吻成滿地的假蝴蝶……剩下的一些藤蔓，在風中吶喊；壞蛋，誰把我們的牛牽走了。

你的牛並未丟失，很快牽了回來。那是你金色的年華，卻在流光中很快握別，淡失了。終於成了一個翩翩少年，染滿手的寂寞寫詩，也有了春天，擁有第一個戀人，當第一次《初吻》時——

小蓓蕾剛睜開眼
嚇了一大跳
蝴蝶是她第一個情人

很美吧，多麼羅曼蒂克，是吧！詩人就是如此純真、純美，是藝術的錦繡人生。詩人一生忠於詩歌，非常的專一，〈詩感〉就是致專的表現，你說：

只飲一瓢風景，便能
化身為詩夢三千

喜歡作夢吧，詩人的夢不是擁有，而是〈夢嫁〉

挽著詩卷
睡成一朵落花
夢自己嫁給春泥

詩卷掉地
驚醒來
用心靈靜靜開花

斟滿一杯西風，全身是夕陽的華彩，是黃昏來臨，落葉蕭蕭，感受秋來了，入秋了，故詩人自吟的詩句《秋徵》是這樣：

我咬一口蘋果
秋就喊痛
難道秋躲在蘋果裡嗎

我再咬一口蘋果
卻覺得自己好痛
一看，原來
我已入秋了

在入秋的歲月中，詩人常在詩國獨吟獨唱，怡然自得，醉於草原，以燃燒滿山的紅葉，熬煮重九詩魂，提煉詩句，每年都有金秋的豐收。詩人雖然詩吟誦詠怡懷萬千，但對世事卻大而化之，在洄溯「詩之旅」的途中，有一次發現〈掉包〉，損失不貲，經過是如此：

媚眼攙著我上車，駛經婀娜婉曲的桃花路，到達櫻唇站下車才發現，錢包掉在女兒莊的酒櫃上。

大家問我裡面裝有多少錢。我說，錢還好不多，可貴是，裡面有成疊的青春歲月，怕是找不回來了。

其實青春並未丟失，歲月還在，只是被詩人打包帶走了，豈止青春？豈止歲月？帶走了親情、友情、愛情和無邊的風情。

如今，掙脫時間空間的羈絆，擺脫名利囂塵的束縛；脫去煩務，息了勞苦，脫去疾病、脫去災害，再無累贅、再無忙碌，遠離口水之爭，遠離藍綠的虛無，與萬化冥合，天地合一，御氣而行，凌虛而往，向浩杳、向長空、向永恆、唱自由之歌。——

我與千年山色同青
我與萬里河海同鳴
夢枕星月
偃臥雲煙
我的名字叫〈自得〉（註）
來去天上人間

祿松兄，我們仰望蒼穹，庚星減色，文曲星沉，你真的走了；俯視地，歌與薤露，回歸塵土，進入杳遠。然，你璀璨輝煌等身之著作，千姿萬彩不朽的畫幅，將長留青史，給中華文化的天空增添真光華彩。為後進者，一代一代的傳誦，將有排山倒海的壯聲。

吁！「泰山其頹乎？樑木其壞乎？哲人其萎乎？」悲哉！

註：王祿松的詩〈自得〉。